Alledaagse dingen

Glas

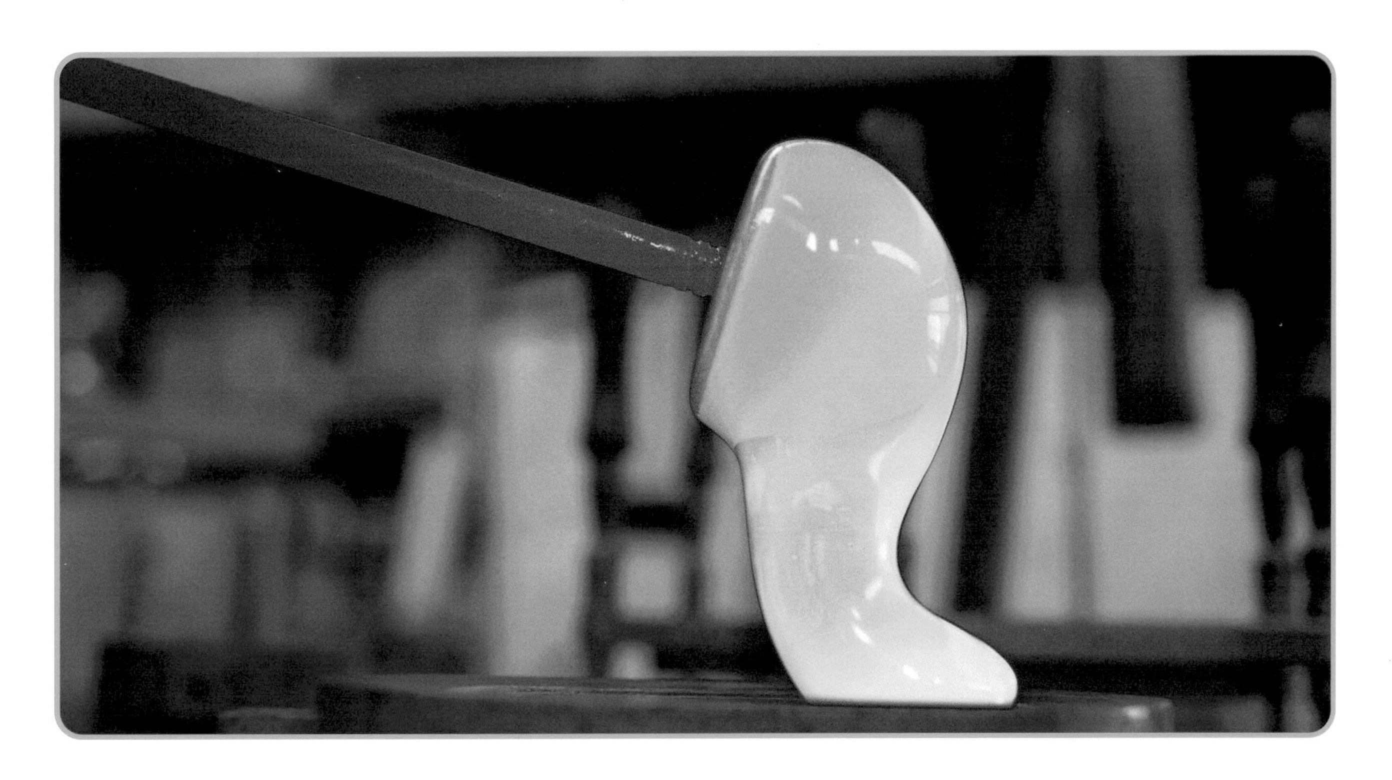

Andrew Langley

Biblion Uitgeverij

Eerste uitgave 2008 Wayland

Hachette Children's Books, 338 Euston Road, London NW1 3BH

Oorspronkelijke titel: **Glass** (Everyday Materials)
Redacteur: Annabel Savery
Vormgever en illustrator: Ian Winton
Beeldredactie: Rachel Tisdale
Vertaling: Karin Beneken Kolmer
Opmaak Nederlandse editie: Interlink-groep, Oud-Beijerland

Fotoverantwoording: Corbis: omslag hoofdfoto (Arcaid/Peter Durant), titelpagina, 12 en 21 (Martin Ruetschi/Keystone), 7 (Paul A Souders), 10 (Bob Krist), 11 en 19 (James L Amos). Discovery Picture Library: 16, 18. Department of Defense: 15. Istockphoto: titelbalk (Rolf Klebsattel), 4 (Oktay Ortakcioglu), 5 (Milos Luzanin), 6 (Francis Twitty), 9 (Tom Young), 13 (Emily Engler), 14, 19 (Tracy Hebden), 20 (Robert Hillman). Nasa: 17. Pilkington Glass: 8.

ISBN 978-90-5483-923-1
1800002665
NUR 210

www.nbdbiblion.nl

Inhoud

Wat is glas?

Glas is een materiaal waar je doorheen kunt kijken. Het is sterk en hard, maar het breekt ook heel gemakkelijk.

Glas wordt voornamelijk van zand gemaakt. Er kunnen duizenden verschillende dingen van gevormd worden, waaronder ruiten, flessen en gloeilampen.

Bekijk het!

Kijk eens rond in je klas. Hoeveel glazen voorwerpen zie je?

Hoe wordt glas gemaakt?

Zand wordt verpulverd tot poeder.
Dan wordt het met andere materialen
vermengd, zoals **kalksteen** en **natrium**.

Het mengsel wordt in een grote tank gedaan. Deze gaat in een **smeltoven**, waarin het heel heet wordt gemaakt. Het mengsel smelt en verandert in vloeibaar glas.

Wist je dat?

Wanneer zand door bliksem wordt getroffen, kan het van de hitte smelten. Het verandert in glas.

Vlak glas

Van **gesmolten** glas kunnen vele verschillende vormen gemaakt worden. Het kan uitgespreid worden over een laag heet metaal. Het hete metaal maakt het glas vlak en glad.

Wist je dat?

De vlakke glasplaten bewegen over enorme rollers.

Gesmolten glas drijft op een laag heet metaal.

Wanneer het glas afkoelt, wordt het weer hard. Het wordt van het metaal getild. De grote glasplaat wordt in kleinere stukken gesneden.

Vlak glas kan gebruikt worden voor het maken van grote ruiten.

Blazen

Een glasblazer vormt glas door er lucht in te blazen. Hij doopt een lange, holle pijp in gesmolten glas.

Dan blaast hij lucht door de pijp in het gesmolten glas om een vorm te maken.

De lucht laat het glas opzwellen tot een ronde vorm.

Wist je dat?

Er zijn glasblaasmachines die glazen flessen maken.

Gieten en persen

Glas kan gevormd worden door het in een **mal** te gieten. Wanneer het glas afkoelt, neemt het de vorm aan van de mal.

Bekijk het!

Ken je iemand die een bril draagt? De glazen van een bril worden gegoten.

Machines kunnen glas ook in een bepaalde vorm persen. Een stuk gesmolten glas wordt in een mal geplaatst. Een **plunjer** duwt het glas naar beneden zodat het de mal goed vult.

Ook de lens van een camera wordt geperst.

Glasvezels

Gesmolten glas kan door kleine openingen geperst worden. Er ontstaan dan hele dunne draden die we **vezels** noemen. De draden worden gewoven tot een materiaal dat we fiberglas noemen.

Wist je dat?

Speciale glasvezels kunnen licht doorgeven. Sommige vezels kunnen zelfs telefoon- en televisiesignalen doorgeven.

Fiberglas is heel sterk. Het brandt niet.
Van fiberglas worden boten gemaakt,
en kleren voor brandweermannen.

Speciale toepassingen

Een spiegel is een stuk glas met aan één kant een laag glanzend metaal. Het **weerkaatst** licht.

Kijk in een spiegel. Je ziet je eigen gezicht. Dat komt doordat het licht van je gezicht naar je teruggekaatst wordt.

Speciaal ‘zwart’ glas bedekt de **neuskegel** van de **spaceshuttle**. Het houdt zonnestralen tegen.

Wat denk jij?

Waarom hebben zonnebrillen donkere glazen?

Recyclen

Er is veel energie nodig om nieuw glas te maken. Het is gemakkelijker om oud glas te smelten en opnieuw te gebruiken.

Bekijk het!

Hebben jullie thuis een bak om lege glazen flessen en potjes in te verzamelen?

Glasmakers voegen afvalglas toe aan zand wanneer ze nieuw glas maken. Het zorgt ervoor dat het zand sneller smelt.

Afvalglas wordt ingezameld en vermalen zodat het opnieuw gebruikt kan worden.

Quiz

Vragen

1. Wat is het voornaamste materiaal dat wordt gebruikt om glas te maken?
2. Wat gebeurt er wanneer gesmolten glas afkoelt?
3. Hoe maakt een glasblazer vormen van glas?
4. Kun je fiberglas laten branden?
5. Is oud glas gemakkelijk te smelten?

Antwoorden

1. Zand.
2. Het wordt hard.
3. Een glasblazer blaast lucht in het glas zodat het een ronde vorm krijgt.
4. Nee, het is niet brandbaar.
5. Ja.

Weetjesweb

Muziek
Als je over de bovenkant van een glazen fles blaast, hoor je een fluitend geluid. Je kunt het geluid veranderen door water in de fles te doen.

Knutselen
Er is speciale verf te koop om glas te beschilderen. Hiermee kun je drinkglazen versieren.

Geschiedenis
De Egyptenaren behoorden tot de eerste mensen die glas maakten. Ze maakten kralen van glas.

Natuur - wetenschap
Glazen lenzen kunnen dingen er groter uit laten zien. Door een **vergrootglas** kun je goed naar voorwerpen kijken.

Aardrijkskunde
Obsidiaan is een gesteente dat op glas lijkt. Het ontstaat wanneer het hete gesteente uit een vulkaan heel snel afkoelt.

Moeilijke woorden

gesmolten wanneer een materiaal tot een hele hoge temperatuur wordt verhit en een dikke vloeistof wordt

kalksteen een soort gesteente

lens een stuk glas dat zo gevormd is dat het voorwerpen er groter of kleiner uit laat zien

mal een vat waarin een vloeistof gegoten kan worden; de vloeistof neemt de vorm aan van de mal

natrium een zachte, witte chemische stof (keukenzout bevat natrium)

neuskegel het voorste deel van een raket of ruimtevaartuig

plunjer een voorwerp dat het vloeibare glas in de mal duwt

smeltoven een oven waarin glas wordt verhit tot het smelt

spaceshuttle een ruimtevaartuig dat in de ruimte kan vliegen en weer naar de aarde terug kan keren

vergrootglas een lens die voorwerpen er groter uit laat zien

vezel een dunne streng of draad

weerkaatsen iets terugsturen

Meer weten

Websites

SchoolTV
www.schooltv.nl/beeldbank/clip/20030623_zand01
Een filmpje over het maken van glas uit zand.

www.schooltv.nl/beeldbank/clip/20060411_glasplaat01
Een filmpje over het maken van glasplaten.

Encyclopedoe
www.encyclopedoe.nl
Als je op 'G' en dan op 'Glas' klikt, krijg je een overzicht van allerlei websites met informatie over glas.

Register